© 2018, *l'école des loisirs*, Paris

Loi 49956 du 16 juillet 1949,
sur les publications destinées à la jeunesse.
Dépôt légal : mars 2018
ISBN 978-2-211-23379-8

Mise en pages : *Architexte*, Bruxelles
Photogravure : *Media Process*, Bruxelles
Imprimé en Italie par *Grafiche AZ*, Vérone

Frédéric Stehr

L'ORAGE

Pastel
l'école des loisirs

Mais, avant de commencer, il faut mettre
les chaussons de gymnastique ou de danse.

Les enfants sont impatients et trépignent.

Rien de mieux que la pluie pour calmer les esprits, pense la maîtresse.

La danse,
c'est comme on aime !
se dit Piou-Piou.